LE JOURNAL DE CORALIE

Catherine Girard-Audet

Gouvernement du Québec – Programme de crédit d'impôt pour l'édition de livres – Gestion Sodec

Nous reconnaissons l'aide financière du gouvernement du Canada par l'entremise du Fonds du livre du Canada pour nos activités d'édition.

info@lesmalins.ca

Directeur de collection : Pierre-Yves Villeneuve
Éditeur : Marc-André Audet
Illustration de la couverture : Paule Trudel-Bellemare
Conception de la couverture : Shirley de Susini
Mise en page : Jessica Papineau-Lapierre et Chantal Morisset

Dépôt légal — Bibliothèque et Archives nationales du Québec, 2014
Dépôt légal — Bibliothèque et Archives Canada, 2014

ISBN: 978-2-89657-195-6

Imprimé au Canada

Les éditions les Malins inc.
Montréal (Québec)

À François et Louise qui m'ont inspiré

une Coralie attachante, sensible et pétillante.

27 juin

Ça ne va pas du tout. Il y a deux semaines, mes parents m'ont annoncé que nous allions passer trois semaines dans un petit chalet près de Trois-Pistoles, dans le Bas-du-Fleuve. Le problème, c'est que j'avais déjà planifié plein d'activités avec mes amis Hugo, Marie et Charlotte, et que je n'ai aucune envie de m'isoler dans la nature.

Je me disais qu'au moins je pourrais compter sur la présence de Léo, mon grand frère de seize ans avec qui je m'amuse beaucoup. Je sais que la plupart des filles de mon âge (dix ans et deux mois) ne supportent pas leur grand frère ou leur petite sœur, mais dans mon cas, c'est différent. Mon frère, c'est mon héros. C'est lui qui me défend quand William Hachey me dit des niaiseries en sortant de l'école (la polyvalente est juste à côté de mon école primaire), c'est lui qui me fait découvrir des livres et des bandes dessinées, et c'est à lui que je me rallie quand je me chicane avec mes parents. Ma mère dit toujours qu'on forme toute une équipe, et que quand on joint nos forces, c'est pratiquement impossible de nous dire non !

Le problème, c'est que j'ai appris aujourd'hui que Léo ne viendrait pas avec nous parce qu'il a été admis dans un camp sportif super exclusif qui n'accepte que les meilleurs dans leur discipline. Je sais que Léo est un champion au soccer, mais j'aurais préféré que son super camp ne tombe pas en même temps que nos vacances sur le bord du fleuve. Je me sens vraiment toute seule, et je me demande ce que je vais faire pour occuper mon temps. Ma mère m'a dit qu'il y avait plein de trucs à visiter dans le coin, et que je pourrais en profiter pour lire mes romans favoris, mais j'ai quand même peur de m'ennuyer.

Elle m'a aussi proposé de trimballer mon chat Chameau avec moi. On devait le faire garder chez une voisine, mais mes parents se sont dit que ça me remontrait peut-être le moral de pouvoir jouer avec lui. C'est une mince consolation, et je me suis empressée de les remercier.

C'est la première fois que je suis séparée de Léo pendant presque quatre semaines, et je ne sais pas trop quoi faire pour ne pas pleurer d'ennui. On s'est promis de s'écrire et de s'appeler tout le temps pour se donner des nouvelles. J'espère que ça passera très vite !

1er juillet

Comme tout le monde a congé aujourd'hui, mon frère a décidé de faire un barbecue pour célébrer son départ. D'habitude, j'aime bien quand Léo organise des fêtes, car ça me permet de passer du temps avec ses amis, qui me considèrent comme leur petite sœur, mais là, je n'avais pas l'esprit à la fête.

Je me suis assise sur un tabouret de la cuisine pour aider maman à couper des légumes.

– Eille ! Qu'est-ce que tu fais là ? Pourquoi tu ne viens pas dehors avec tout le monde ? m'a demandé mon frère en faisant irruption derrière moi.

– Bof, je ne me sens pas super bien. Je pense que j'ai mal au ventre…

– Ça veut dire que tu ne veux pas de chips sel et vinaigre ? m'a-t-il demandé en me tendant mes croustilles préférées.

– Ben là ! J'ai pas mal tant que ça !

– Allez, Co. Dis-moi la vérité. Pourquoi tu restes ici ?

Ma mère m'a jeté un coup d'œil et m'a souri pour m'encourager à dire ce qui n'allait pas à Léo.

– Ben, euh… Je me sens un peu… triste.

J'ai senti les larmes me monter aux yeux. J'ai détourné le regard pour éviter que mon frère me voie.

– Ne sois pas triste, Coralie. Je sais que ça te paraît long, mais je te promets que ça va passer vite ! Et puis, je ne suis pas encore parti, alors aussi bien profiter de nos derniers moments ensemble, non ?

– Mouais… T'as peut-être raison.

– Si j'apporte le sac de chips sel et vinaigre dehors, est-ce que tu vas me suivre ?

– Peut-être.

– Et si je te promets que si tu viens avec moi dehors, on pourra faire un tournoi de hockey à la Wii dès que mes amis seront partis ?

– Ça, ce n'est pas une offre que je peux refuser ! J'adore te battre à la Wii !

– Pfff ! N'importe quoi ! Allez, suis-moi !

J'ai fini par céder, et à ma grande surprise, je me suis bien amusée avec les autres. J'avoue que ce que j'ai préféré de la journée, c'est quand Léo et moi on s'est retrouvés seuls et que j'ai réussi à remporter le fameux tournoi de hockey !

Ce sont ces moments-là qui me manqueront le plus quand Léo sera loin.

2 juillet

Léo a pris l'autobus ce matin. Moi, je me suis enfermée dans ma chambre pour pleurer. Ma mère est venue frapper à ma porte.

– Ça va, ma chouette ?

– Non ! Je suis triste que Léo soit parti, et je n'ai pas envie de passer trois semaines à l'autre bout du monde loin de mes amis. Je me sens seule, maman, lui ai-je répondu entre deux sanglots.

– Tu verras, ma chérie ! Tu vas t'amuser beaucoup plus que tu penses ! Je suis certaine que ton frère nous appellera à tous les jours, et que le temps filera si vite que tu ne réaliseras même pas que quatre semaines se sont écoulées quand il reviendra.

– Mouais, ai-je répondu d'un air peu convaincu.

– Que dirais-tu de commander du poulet barbecue pour te remonter le moral ?

Je dois avouer que ma mère a souvent la solution pour me faire retrouver le sourire !

6 juillet

C'est aujourd'hui le grand départ. On a tellement de bagages, que c'est à peine si Chameau ne doit pas monter sur ma tête pour se rendre jusqu'à Trois-Pistoles !

Au moins, il fait beau, et je suis de meilleure humeur depuis que mes trois meilleurs amis sont venus chez moi hier pour organiser une petite fête de départ. Marie et Charlotte m'avaient fait un collage de nos plus belles photos, tandis qu'Hugo m'a offert un super crayon vert pour que je puisse écrire mes pensées et tous mes souvenirs dans mon petit cahier rouge ! Mon père nous a préparé des hamburgers sur le barbecue, puis nous avons regardé un film jusqu'à ce que mes amis doivent partir. Ce matin, en me réveillant, je me suis dit que même si j'allais passer trois semaines loin de mes amis, je savais qu'ils n'allaient pas m'oublier, et qu'au fond je n'étais pas vraiment seule.

J'ai aussi parlé à Léo. Il m'a raconté qu'il s'amusait beaucoup au camp, mais que c'était super compétitif, et qu'il devait travailler fort pour faire ses preuves.

– Est-ce que tu t'es fait des amis ?

– Les gars de mon groupe sont super gentils, mais je passe surtout du temps avec une des filles. Elle s'appelle Caroline. On s'entend vraiment bien !

Je n'ai pas pu m'empêcher d'éprouver une pointe de jalousie. C'est comme ça chaque fois que Léo se rapproche d'une fille, ou qu'il se fait une blonde. Je sais que c'est niaiseux, mais j'ai toujours peur qu'elle me vole ma place.

– Et toi, tout se passe bien ?

– Correct, mais je m'ennuie beaucoup de toi.

– Ne déprime pas, Co ! Dis-toi que c'est génial de pouvoir passer trois semaines sur le bord du fleuve ! Profites-en au maximum pour respirer le grand air et lire tous les livres que tu n'as pas eu le temps de dévorer pendant l'année scolaire !

C'est drôle, parce que même si mes parents me suggèrent la même chose, ça n'a pas le même impact quand c'est Léo qui me le dit. On dirait que je le crois plus, et que j'ai vraiment envie d'écouter ses conseils !

Je dois filer, car mes parents sont prêts à partir. Quand je réécrirai, je serai devant la mer, loin de mon quartier, de mes amis, et encore plus loin de mon frère !

7 juillet

Quand nous sommes arrivés hier soir, le soleil était en train de se cacher derrière le fjord du Saguenay, et j'avoue que la vue était trop belle ! Ça sentait l'air marin, et dès que j'ai vu la petite plage de sable blanc qui s'étendait au pied de notre chalet, j'ai ressenti une vague d'espoir. Peut-être qu'après tout les trois prochaines semaines n'allaient pas être aussi désagréables que je l'appréhendais !

J'ai ensuite exploré le petit chalet, qui est lui aussi plus charmant que ce à quoi je m'attendais. C'est rustique, mais mignon à la fois. Et j'ai une chambre juste à moi avec une vue sur la mer. J'ai installé le lit de Chameau près du mien, j'ai défait ma valise, puis je suis allée m'asseoir avec mes parents dans la grande véranda vitrée pour admirer les dernières lueurs du jour.

Mes parents ont cuisiné du poisson pour célébrer notre arrivée dans le Bas-Saint-Laurent, puis nous avons joué aux cartes en mangeant des bretzels. C'est bizarre, parce que c'est le genre d'activités qu'on fait généralement avec Léo, mais je dois avouer que c'était quand même drôle de voir mon père perdre et qu'on a bien ri même si mon frère n'était pas là.

Je croyais avoir de la misère à m'endormir, mais j'ai dormi comme un bébé. Je n'ai jamais osé le dire à personne, mais j'ai un peu peur quand je dors dans un endroit inconnu. Il m'arrive même d'inspecter les garde-robes et de vérifier sous le lit pour m'assurer qu'il n'y a personne !

Je pense que la différence, c'est que, cette fois-ci, j'ai apporté mon oreiller, et que ça me fait sentir comme si j'étais chez moi ! Il est tellement vieux qu'il est devenu tout mou, mais je refuse de m'en départir parce qu'il a une grande valeur sentimentale ! Quand j'ai expliqué ça à mes parents la veille de notre départ, ils n'ont rien trouvé à redire et ont accepté que je l'apporte avec moi. Mon père a simplement ajouté que si je continuais à défendre mes intérêts de cette façon, une grande carrière d'avocate allait se dessiner pour moi !

En me levant ce matin, j'ai ouvert les rideaux et j'ai constaté qu'un nuage épais de brume recouvrait la plage et la mer. Ça donnait un air tout triste au paysage, et soudain, j'ai eu la gorge nouée. Je m'ennuyais de mon frère, de mon lit, de mes amis et de ma chambre. Je me sentais seule au bout du monde.

Ma mère, qui a le don de sentir quand je suis triste, est aussitôt arrivée dans ma chambre avec un jus d'orange.

– Il fait gris, me suis-je contentée de lui dire.

– Je sais, mais c'est beau quand même, non?

– Moi, ça me déprime quand il fait gris.

– Allons, ma chérie! Il faut rester positive! J'ai pensé que comme il ne faisait pas très beau, nous pourrions en profiter pour aller au village cet après-midi. Je dois faire l'épicerie, et j'ai lu qu'il y avait une grande librairie près du centre commercial! On arrivera sûrement à te dénicher quelques bouquins pour t'aider à t'occuper lorsqu'il pleut.

– Oui ! me suis-je écriée avant de lui sauter dans les bras.

Comme je disais, ma mère a un don spécial pour me faire retrouver le sourire !

8 juillet

Hier, ma mère et moi avons passé près d'une heure à faire le tour de la librairie du village pour sélectionner les meilleurs titres. J'ai finalement choisi trois romans que je voulais lire depuis longtemps : deux tomes d'une série que j'adore, et un livre de magicien qu'Hugo m'a suggéré.

Charlotte a ri de lui quand il s'est mis à faire une description de l'histoire, mais moi j'ai trouvé que ça avait l'air vraiment bon. J'ai donc pris sa défense, et mon amie m'a répété pour la énième fois qu'elle ne comprenait pas pourquoi je ne sortais pas avec Hugo, puisque, apparemment, on était toujours du même avis.

La vérité, c'est que Charlotte a un peu raison. Hugo est mon meilleur ami depuis la première année, et j'ai toujours été impressionnée par le fait qu'on était d'accord sur presque tout. De mon côté, je l'ai toujours trouvé beau, et j'ai toujours été un peu amoureuse de lui, mais je ne crois pas qu'il m'aime de cette façon. Sinon, il me l'aurait avoué, non ? Après tout, il n'a pas eu peur d'avouer à Marie qu'il l'aimait l'an dernier, ni de sortir avec elle pendant des semaines ! Ça me faisait de la peine chaque fois que je les voyais se tenir par la main et chaque fois qu'Hugo se mettait en équipe avec elle plutôt qu'avec moi, mais je n'ai jamais rien dit. Je ne voulais pas ruiner notre amitié, ni faire de la peine à Marie.

Leur relation s'est terminée quand Marie a appris que Mathieu, un gars populaire de notre classe, était amoureux d'elle. Elle m'a alors raconté qu'au fond, elle avait toujours eu un faible pour Mathieu, et qu'il fallait qu'elle saute sur l'occasion. Hugo a eu beaucoup de peine, et même si c'était un peu bizarre au début, Marie et lui ont réussi à rester amis après coup. J'avais espoir qu'Hugo se réveille un jour et me déclare que c'est moi qu'il aimait, mais ce n'est jamais arrivé, et je n'ai jamais avoué à personne que je l'aimais, pas même à Charlotte.

J'étais en train de penser à Hugo lorsqu'un petit chat noir est venu se faufiler entre mes jambes.

– Il est tellement mignon, ai-je dit à ma mère qui était en train de payer nos livres.

Je l'ai pris dans mes bras pour le flatter, mais une vieille dame vêtue d'une drôle de robe est aussitôt apparue de nulle part. Elle portait un foulard sur la tête et marchait à l'aide d'une canne. Elle a ramené son chat à l'ordre d'une voix bourrue sans même me porter attention.

– Fripouille ! Viens ici ! s'est-elle écriée en fronçant les sourcils.

– Oh, pardon, madame, me suis-je excusée en lui rendant son chat.

– Hum ! a grogné la vieille dame avant de disparaître dans l'arrière-boutique.

– Sympathique, ai-je soufflé entre mes dents, ironique.

– Excusez-la, nous a murmuré la caissière. C'est la propriétaire de la librairie, mais elle n'est pas très douée avec les clients.

– C'est le moins qu'on puisse dire ! a soufflé ma mère.

Après cela, nous avons fait une promenade au village. C'est vraiment très joli, et super pittoresque. J'ai l'impression d'être à des milliers de kilomètres de chez moi ! On s'est aussi arrêté dans une fromagerie qui fait le meilleur fromage à poutine au monde. J'ai demandé à maman si on pouvait en acheter pour Hugo avant de partir.

– Oui, mais il faudra venir le matin même ! Sinon, il ne fera pas « couic-couic ».

– OK ! Il va être super content ! Il raffole de la poutine !

– C'est gentil de penser à rapporter un souvenir à ton ami.

– Ouais, mais tu sais qu'Hugo n'est pas juste « un ami ». C'est mon *meilleur* ami !

– Et peut-être ton futur amoureux ? m'a-t-elle demandé d'un air taquin.

– Han ! Euh ! Non ! Tellement pas ! Pfff ! Pourquoi tu dis ça ?

– Pour rien, m'a-t-elle répondu en me souriant. C'est juste que je trouve que vous formeriez un beau couple, et je vois bien que tu l'aimes beaucoup.

J'ai haussé les épaules, mais je n'ai rien répondu. Le problème avec ma mère, c'est qu'elle me connaît trop bien, et qu'elle devine toujours tout !

Nous avons emprunté le petit chemin en gravelle qui nous mène jusqu'au chalet, et ma mère a pointé en direction d'un rocher.

– Regarde ! Il y a un garçon assis là-bas. Ce doit être un de nos voisins.

J'ai plissé les yeux et j'ai vu un garçon de mon âge assis en indien sur une grosse roche. Il était en train de lancer un bâton à un labrador blond.

– Mouais. J'espère que son chien n'ira pas faire peur à Chameau. Tu sais qu'il a horreur des grosses bêtes !

J'ai aidé maman à rentrer les courses, puis mon père s'est joint à nous et nous avons passé près d'une heure à cuisiner un gâteau au chocolat. Quand je suis allée m'asseoir dans la véranda, j'ai remarqué que le garçon était encore assis sur le rocher, mais que son chien avait disparu. Il regardait l'horizon et semblait plongé dans ses pensées. Peut-être qu'il songeait, lui aussi, à sa meilleure amie qu'il aimait secrètement et qui l'avait convaincu de lire un livre de magicien ?

10 juillet

Après trois jours de bruine, de brouillard et de pluie, ce sont les rayons du soleil qui m'ont réveillée ce matin ! J'étais contente, car j'ai déjà lu l'un des deux tomes de ma série, et j'achève le livre de magicien conseillé par Hugo (il avait raison ; l'histoire est géniale !). Bref, j'étais prête à me dégourdir les jambes un peu !

Je suis allée cueillir des petites fraises avec ma mère, et ensuite, j'ai décidé d'aller me promener sur le bord de la plage. Comme la marée était basse, ça me permettait d'avancer sans trop de difficulté. J'ai enlevé mes gougounes pour toucher à l'eau quand un grand labrador blond est arrivé près de moi en agitant la queue.

Je l'ai flatté et il s'est mis à me lécher les bras. J'allais lui lancer un petit bâton quand quelqu'un a sifflé pour le ramener à l'ordre. C'était le même garçon que j'avais vu sur le rocher près de mon chalet quelques jours plus tôt. Cette fois-ci, il s'était installé sur la plage, à plusieurs dizaines de mètres de moi. Je lui ai envoyé la main pour le saluer, et c'est à peine s'il m'a répondu.

Alors, j'ai décidé de me présenter. En m'approchant de lui, j'ai remarqué que ses yeux bruns étaient rougis, comme s'il avait pleuré. Ses cheveux bouclés étaient en bataille et il avait croisé ses bras autour de ses genoux.

– Salut. Je m'appelle Coralie.

Il m'a regardée sans rien dire. J'ai attendu quelques instants, puis j'ai décidé de briser le silence en lui racontant ma vie !

– Je viens de m'installer dans le chalet rouge là-bas avec mes parents pour trois semaines, et je suis en train de découvrir le coin ! Il y a deux jours, j'ai goûté au meilleur fromage en crottes de la Terre !

J'ai ri et j'ai jeté un regard vers lui. Il avait le regard rivé sur la mer, et il ne semblait pas vraiment porter attention à ce que je lui disais.

– Toi, c'est quoi ton nom ?

– Loïc, m'a-t-il répondu en levant finalement les yeux vers moi.

– Enchantée de te rencontrer ! lui ai-je dit en lui tendant la main. Il a semblé un peu surpris par mon geste, mais il m'a finalement tendu la sienne.

– Mouais... Moi aussi, a-t-il répondu d'un air hésitant.

– Et tu habites près d'ici ?

– Mes parents... ou plutôt mon père a acheté le chalet blanc près du tien l'année dernière. On s'est installés ici pour un mois.

Il s'est tu et il a à nouveau plongé son regard vers l'horizon. J'ai toussoté, puis j'ai flatté son chien qui n'arrêtait pas de me renifler les jambes.

– Et lui, c'est quoi son nom ?

– Il s'appelle Moustique.

– Ha ! C'est drôle, ça ! Moi, j'ai un chat qui s'appelle Chameau. S'ils se croisent, ça risque de chauffer.

Loïc a esquissé un sourire sans détacher son regard de l'horizon.

– Bon, je vais te laisser à tes… hum… pensées. Je ne voulais pas te déranger. Je voulais simplement me présenter.

– Tu ne me déranges pas, a-t-il dit doucement en me souriant. Tu peux t'asseoir, si tu veux.

Je me suis empressée de m'installer à ses côtés. Maman m'a toujours dit de ne pas laisser filer les occasions d'apprendre à mieux connaître les gens, et je n'allais certainement pas refuser la perche que Loïc me tendait. La seule chose qui me tracassait, c'est la tristesse que je pouvais lire dans ses yeux. J'avais une envie irrépressible de l'aider, mais je ne voulais pas non plus avoir l'air trop indiscrète.

– Est-ce que je peux te poser une question ? lui ai-je demandé.

– Oui.

– Pourquoi es-tu triste ? Je veux dire… je peux voir que tu as pleuré, non ? Et ta façon de regarder au loin… Peut-être que je me trompe, mais on dirait que ça ne va pas.

– C'est compliqué, s'est-il contenté de répondre en soupirant.

J'allais lui demander pourquoi, mais une femme est apparue sur la plage et s'est mise à crier le nom de Loïc.

– Viens dîner ! a-t-elle dit en retenant ses longs cheveux blonds qui volaient au vent.

– Bon, il faut que je file, m'a-t-il dit en se levant.

– OK. Bye !

Loïc m'a fait un signe de la main et il s'est mis à marcher vers son chalet, la tête basse. Au bout d'un moment, il s'est tourné vers moi.

– Coralie ? s'est-il écrié.

– Oui ?

– Si ça te tente, on pourrait peut-être se rejoindre ici demain.

– Oui ! ai-je répondu en souriant. Je serai là !

Je ne connais peut-être pas encore les secrets de Loïc, mais je sens que j'ai réussi à percer sa carapace, et peut-être même à me faire un nouvel ami !

11 juillet

Chameau m'a réveillée ce matin en ronronnant et en me chatouillant avec ses pattes.

– C'est correct, Chameau ! J'ai compris ! Je vais aller te nourrir ! ai-je dit d'une voix endormie.

Je me suis traîné les pieds jusqu'à la cuisine. Ma mère était en train de parler au téléphone.

– Et tu t'amuses bien, mon chéri ? Tu manges bien ? On s'ennuie tellement de toi !

J'ai tout de suite compris qu'elle parlait à Léo ! Comme le facteur a peine à se rendre jusqu'à notre chalet, nous avions convenu de communiquer plutôt par téléphone. J'ai fait des signes à maman pour lui dire que je voulais lui parler.

– Bon ! Rappelle-nous demain ou après-demain. Je te passe ta sœur, qui veut absolument te dire bonjour.

Ma mère m'a donné le combiné. Dès que j'ai entendu la voix de Léo à l'autre bout du fil, de grosses larmes se sont mises à couler sur mes joues.

– Ne pleure pas ! m'a-t-il tout de suite. Je vais bien, et on va se voir bientôt !

– Je sais, mais tu me manques !

Le simple fait de le dire m'a fait éclater en sanglots. Ma mère est venue derrière moi pour me serrer contre elle, tandis que je faisais de gros efforts pour retrouver mon sang-froid. J'ai demandé à mon frère de me raconter ses journées. Il m'a dit qu'il s'entraînait pendant des heures, et qu'il s'était fait de bons amis au camp.

– Et Caroline ? lui ai-je demandé en essayant de paraître nonchalante.

– Elle va bien ! Et elle a super hâte de te connaître ! Je n'arrête pas de parler de ma petite sœur. T'es comme une légende, ici.

– Ah ? Je vais la rencontrer ?

– Oui. Elle habite proche de chez nous, et elle me plaît beaucoup. J'aimerais ça continuer de la voir après le camp.

Je me suis empressée de changer de sujet et de lui raconter mes journées pour ne pas trahir le fait que j'étais angoissée à l'idée que cette Caroline entre dans notre maison, dans notre vie et qu'elle vole l'attention de mon frère.

Quand j'ai raccroché, j'ai regardé par la fenêtre, perdue dans mes pensées.

– Ça va ? m'a demandé papa en préparant le café.

– Mouais.

– « Mouais » ? Ça veut dire quoi, ça ?

– Léo t'a dit qu'il s'était fait une blonde au camp ?

– Oui ! Et ça ne m'étonne pas trop. Tu sais que Léo a toujours eu du succès auprès des filles. Il tient de son père !

– Eille ! s'est écriée ma mère en riant.

– Ça te tracasse ? m'a demandé papa en fronçant les sourcils.

– Non ! Peut-être… Je ne sais pas.

– Ma chérie, c'est normal que Léo se fasse des blondes, mais il faut que tu saches que ça ne change rien à l'importance que tu as dans sa vie, m'a dit maman.

J'ai écarquillé les yeux. Comment fait-elle pour deviner ce que je sens? J'ai souri en guise de réponse, puis je me suis installée dans la véranda avec un croissant et un jus d'orange. Tout à coup, des rires provenant du chalet voisin ont attiré mon attention.

J'ai vu trois filles d'à peu près mon âge qui couraient en jouant avec des pistolets à eau.

– Tiens, je ne savais pas qu'on avait de jeunes voisines, a dit ma mère.

– Moi non plus. J'irai les saluer, tout à l'heure.

Ma mère m'a regardée en souriant. Je pense qu'elle est fière de m'avoir transmis cette assurance qui me permet de parler en public et d'aller vers les autres sans devenir rouge tomate. C'est la même confiance qui m'a permis de me faire de bons amis au fil des ans, et de tisser des liens avec les jeunes du coin chaque fois qu'on part en vacances. Charlotte et Marie disent souvent qu'elles m'envient, car je n'ai peur de rien. (Ce qui est faux, puisque j'avoue avoir peur des endroits inconnus et des bestioles qui se cachent sous mon lit. Je me méfie aussi des méchants dans les films, et depuis que ma grand-mère est morte, j'avoue que j'ai peur de la maladie.)

J'ai fini mon petit-déjeuner et je suis sortie à l'extérieur pour saluer les voisines. Je leur ai fait un signe de la main en souriant, mais seulement l'une d'elles a daigné me répondre d'un hochement de tête, alors que les deux autres m'ont complètement ignorée.

– Mais qu'est-ce qu'ils ont tous à m'ignorer dans ce village ? me suis-je dit tout bas.

Comme je ne suis pas du genre à me laisser intimider, j'ai décidé d'opter pour une approche plus directe. Après tout, ça avait bien fonctionné avec Loïc.

– Salut, les filles, ai-je dit en les abordant. Je m'appelle Coralie. Mes parents louent le chalet d'à côté pendant quelques semaines. Et vous, comment vous vous appelez ?

Les filles m'ont dévisagée sans répondre, puis elles ont continué à se lancer de l'eau comme si je ne leur avais rien demandé.

– Euh… Allo ?

– Excuse-nous, m'a répondu la grande brune d'un air nerveux. Moi, c'est Sophie, et elles, ce sont Anne et Julie.

Je sentais que ses deux amies n'avaient aucune envie de me connaître, ni de m'intégrer dans leur clique.

– Bon... Eh bien... Je suis à côté, alors s'il y a quoi que ce soit, faites-moi signe.

Aucune réponse. J'ai regagné mon chalet les épaules basses. Quand j'ai résumé la situation à ma mère, elle m'a félicitée pour mon courage et elle m'a assuré qu'il n'y avait pas de quoi me sentir triste, puisque je n'avais rien fait de mal. Elle m'a dit qu'au contraire ce sont les voisines qui se sont montrées peu cordiales, et que c'était tant pis pour elles si elles ne voulaient pas faire plus ample connaissance. Je sais qu'elle a raison, mais ce n'est jamais génial de se sentir rejetée.

Heureusement qu'il y a Loïc que je dois rejoindre sur la plage dans quelques minutes ! Même s'il n'est pas le garçon le plus sociable de la Terre, je sens qu'il a vraiment envie de me connaître mieux !

13 juillet

Ça fait déjà une semaine que nous sommes au chalet, et j'avoue que je commence à m'habituer au rythme tranquille du Bas-du-Fleuve. Ce matin, j'ai même été contente de me réveiller et d'entendre le chant des oiseaux et les clapotis de la mer à l'extérieur.

Je crois que mon amitié avec Loïc m'aide aussi à m'adapter, et à ne pas trop m'ennuyer de Léo. Ça fait deux jours qu'on s'amuse ensemble, et même si je l'ai trouvé un peu taciturne lors de notre première rencontre, j'ai découvert qu'il avait un super sens de l'humour et qu'on pouvait bien rigoler tous les deux.

Le seul problème, c'est que lorsqu'il vient jouer chez moi, il emmène toujours son chien Moustique, et que Chameau ne semble guère apprécier sa présence. Dès qu'il sent son chien approcher, mon chat s'empresse de se réfugier sous mon lit, et il passe une bonne partie de la soirée à me bouder. J'ai beau lui expliquer que la présence de Moustique ne change rien à mon amour, il ne veut pas comprendre.

Hier soir, alors que j'essayais de le raisonner, mon père m'a regardée d'un drôle d'air.

– Pourquoi tu me regardes comme ça ?

– Parce que ce que tu es en train d'expliquer à Chameau, c'est exactement ce que je te disais à propos de ton frère, l'autre jour. La présence de Moustique ne change rien à l'importance de Chameau dans ta vie, et celle de Caroline ne change rien à ta place dans le cœur de Léo.

– Hum…

Je suis restée songeuse. Je sais que papa a (un peu) raison, mais elle m'énerve déjà, même si je ne la connais pas. À mes yeux, elle demeure une menace.

Même si Chameau ne semble pas charmé par mon nouvel ami et son chien, je crois que Loïc adore passer ses journées ici. Ça fait deux jours de suite qu'il vient chez moi après le petit-déjeuner, et chaque fois que je lui offre de faire un tour chez lui, il trouve une raison pour ne pas y aller. C'est dommage, parce que j'aimerais bien connaître ses parents et découvrir son chalet, mais je ne veux pas le brusquer en insistant davantage.

Demain, j'ai promis à maman de l'accompagner au village. J'essaierai de trouver une petite gâterie pour Chameau afin de lui prouver que je ne l'ai pas oublié !

14 juillet

Maman et moi sommes à nouveau tombées sur la vieille dame de la librairie aujourd'hui. Après avoir fait les courses (et avoir trouvé un jouet pour Chameau), maman a voulu faire un saut chez le marchand de livres pour acheter un roman policier à mon père.

Comme je n'ai toujours pas terminé mes livres, j'ai décidé de l'attendre près de la caisse. C'est alors que le petit chat de la dernière fois est apparu en ronronnant. Même si je sais maintenant que la propriétaire n'aime pas qu'on flatte son animal, je n'ai pas pu m'empêcher de le caresser.

– Je crois qu'il t'aime beaucoup, m'a dit la caissière.

– C'est sûrement parce qu'il sent l'odeur de Chameau sur moi.

– Chameau ?

– C'est mon chat. Il est tigré.

J'ai entendu quelqu'un tousser. Je me suis retournée, et j'ai vu la vieille dame qui nous observait derrière le rideau menant à l'arrière-boutique. Elle a tendu sa canne vers moi et s'est mise à crier.

– Fripouille, viens ici tout de suite ! Je t'ai déjà dit de ne pas aller voir les inconnus !

– Ça va, grand-maman ! Elle ne va pas manger ton chat ! a lancé la caissière en riant.

Fripouille s'est empressé de rejoindre la vieille dame, qui m'a envoyé un regard noir avant de disparaître.

– La propriétaire, c'est ta grand-mère? ai-je demandé tout bas.

– Oui. Elle s'appelle Aline. En fait, la librairie appartenait à mes grands-parents, mais depuis que mon grand-père est décédé, ma mère a pris la relève pour aider mamie, et mes frères et moi travaillons ici pendant l'été.

– Wow. C'est une entreprise familiale, alors?

– Oui.

– Et pourquoi ta grand-mère me regarde comme ça? J'ai l'impression qu'elle n'apprécie pas trop ma présence! Pourtant, j'adore les chats, et j'adore les livres!

– Ne t'en fais pas. Je t'assure que lorsqu'on la connaît bien, elle est très attachante... voire même sympathique ! Il faut juste l'apprivoiser.

Maman est venue payer, et juste avant de quitter la librairie, je me suis tournée vers la caissière en lui tendant la main.

– En passant, moi, c'est Coralie.

– Enchantée, Coralie. Moi, c'est Jacinthe !

– À la prochaine, Jacinthe. Tu salueras Aline pour moi.

J'ai gratté la tête de Fripouille, puis j'ai suivi maman jusqu'à l'auto. Après un arrêt rapide à la fromagerie pour ma dose quotidienne de fromage en crottes, nous sommes rentrées à la maison, et j'ai vu les voisines qui rigolaient en sautillant sur les rochers. C'est la première fois que je les revoyais depuis le jour où elles m'ont ignorée.

Comme j'avais promis à Loïc de le retrouver sur la plage, j'ai dû passer devant elles pour m'y rendre. J'ai hésité un peu, mais je leur ai finalement fait un petit signe de la main. Sophie m'a répondu en souriant, mais les deux autres m'ont une fois de plus ignorée, ce qui m'a mise en colère.

Quand j'ai rejoint Loïc, je bouillais encore de l'intérieur.

– Salut, Coralie ! Pourquoi tu fais cette tête-là ?

– Parce que je viens de croiser mes « super » voisines, et que chaque fois que je m'acharne à être gentille avec elles, elles me font sentir comme une moins que rien. Il n'y a que la grande brune qui daigne me saluer en retour.

– Je sais de quoi tu parles. Ma sœur a essayé tant bien que mal de devenir amie avec elles l'été dernier, mais sans succès.

Je l'ai regardé d'un air surpris. Je ne savais même pas que Loïc avait une sœur ! À bien y penser, j'ai réalisé que je ne connaissais pas grand-chose sur sa vie, à part qu'il avait le même âge que moi. Chaque fois que j'essaie d'en apprendre davantage, il change de sujet ou il détourne l'attention sur moi (c'est flatteur, mais quand même !).

– Tu as une sœur ?

– Oui, une grande sœur. Elle a douze ans.

– Et elle n'est pas ici ?

– Non. Elle a eu un… empêchement.

J'ai voulu en savoir un peu plus, mais j'ai tout de suite senti que Loïc n'était pas à l'aise. J'ai vu son visage se crisper, et son regard se durcir. J'ai donc ramené le sujet sur mes voisines.

– Et est-ce que ta sœur a fini par découvrir pourquoi ces filles étaient aussi froides avec elle ?

– Pas vraiment. Je crois qu'elle s'entendait bien avec Sophie, la même qui est sympathique avec toi, mais que les deux autres lui faisaient des crises dès qu'elle essayait d'inclure ma sœur dans leur groupe. Personnellement, je laisserais tomber. Je crois que ça ne sert à rien de se battre pour créer des liens avec des gens qui ne sont pas ouverts à nous connaître. C'est une perte de temps.

– Tu as parfaitement raison ! lui ai-je répondu en souriant.

Loïc a ensuite insisté pour m'entraîner au sommet d'une petite falaise d'où on pouvait contempler le paysage. Le fleuve paraissait encore plus majestueux vu d'en haut. Ça m'a donné envie de me baigner, mais l'eau est trop froide (ou comme dirait Léo, je suis trop frileuse).

Après notre balade, je lui ai offert d'aller jouer chez lui, mais il m'a dit que ce n'était pas un bon moment, et qu'il préférait aller chez moi. J'ai une fois de plus décidé de ne pas trop insister pour éviter de le brusquer, mais je trouve ça bizarre qu'il ne veuille ni me parler de sa sœur ni me présenter ses parents. J'espère qu'au fil des semaines, il acceptera de s'ouvrir à moi et de me confier ce qui le tracasse.

16 juillet

Grrr ! J'ai besoin de me défouler. Ma journée a très mal commencé ! Léo a téléphoné alors que je terminais mon petit-déjeuner et il a insisté pour que je parle à « sa » Caroline.

Je comprends qu'il a une blonde et qu'il l'aime, mais est-ce que je suis obligée d'être amie avec elle ?

J'ai grommelé, et je lui ai dit que je n'avais pas envie, après quoi il s'est mis à me faire un discours en chuchotant pour éviter que sa précieuse Caroline ne l'entende.

– Pourquoi tu réagis comme ça, Co ? Si je tiens tant à te la présenter, c'est qu'elle est importante pour moi.

– Ouais, mais est-ce qu'elle doit aussi être importante pour moi ?

– Ben oui, c't'affaire ! Je n'arrête pas de parler de toi ! Elle comprend que c'est *full* important pour moi que vous vous entendiez bien ensemble. La seule qui n'a pas l'air de le réaliser, c'est toi !

– Ce n'est pas vrai, ai-je répondu en refoulant mes larmes. C'est *toi* qui comprends rien !

– C'est quoi, ton problème ? Chaque fois que je te parle d'elle, tu commences à bouder. Arrête de jouer à l'enfant, Co.

C'en était trop. J'ai passé le combiné à ma mère, et je lui ai dit que je ne voulais plus lui parler, puis je me suis réfugiée dans ma chambre pour pleurer. Chameau est venu se blottir contre moi, comme s'il cherchait à me consoler.

Ma mère est venue me voir quelques minutes plus tard, après avoir raccroché avec mon frère.

– Ça ne va pas ?

– Non. J'haïs me disputer avec Léo, et j'haïs quand il me traite d'enfant. Ce qui est cool avec lui, c'est qu'il a l'habitude de me traiter comme son égal, mais là, il m'a chicanée comme si j'étais une petite fille.

Ma mère s'est assise près de moi, et Chameau est aussitôt allé se réfugier sous le lit. Il n'aime pas quand il n'est plus le centre de l'attention. Un peu comme moi, au fond.

– Écoute, ma puce, je ne veux pas dire que Léo a raison, mais c'est vrai que tu es un peu dure avec lui. S'il tient tant à te présenter sa Caroline, c'est parce...

– Qu'il l'aime et qu'il tient à elle ! Je sais ! Il n'arrête pas de me le répéter.

– Non... J'allais dire que c'est parce qu'il t'aime aussi, et que c'est très important pour lui que tu t'entendes bien avec sa copine. Je pense que tu ne réalises pas à quel point ton grand frère tient à toi !

– Tu penses ? lui ai-je demandé en essuyant mes larmes avec le revers de ma manche.

– J'en suis certaine.

Elle m'a fait un câlin. Ça m'a fait du bien de me faire consoler par maman, mais j'avoue que j'ai encore le cœur gros. Je déteste me disputer avec Léo, et ça me met vraiment à l'envers. Je vais aller faire une promenade pour essayer de me changer les idées.

16 juillet (un peu plus tard)

Décidément, j'aurais mieux fait de rester au lit ce matin. Quand je suis sortie du chalet, je suis tombée nez à nez avec Sophie qui rentrait d'une balade. Je l'ai saluée rapidement et j'ai continué mon chemin. J'avais les yeux rougis et le visage tout bouffi à cause des larmes.

– Coralie ?

– Oui, ai-je dit en me retournant.

– Ça va ? Tu n'as pas l'air de filer.

– Mouais. Je me suis chicanée avec mon grand frère.

– Je te comprends. Je suis habituée de me disputer avec mes grandes sœurs.

– Anne et Julie ?

– Non, Anne et Julie sont mes cousines. Elles ont le même âge que moi, et je les accompagne chaque année au chalet. Mes sœurs restent en ville avec mes parents.

J'étais étonnée que Sophie soit soudainement si cordiale avec moi. Même si c'est la seule de la clique à me saluer quand je les croise, elle n'a encore jamais fait d'effort concret pour apprendre à me connaître.

Tout à coup, Anne est sortie du chalet voisin et nous a dévisagées, comme si on était en train de faire quelque chose de mal, comme si Sophie agissait en traître en discutant avec la voisine !

– Sophie, tu viens ? On t'attend pour commencer notre partie de cartes, a dit Anne d'un ton sec.

– Ouais, j'arrive, lui a répondu Sophie aussitôt.

Comme j'étais déjà de mauvais poil, je n'ai pas pu m'empêcher de faire un commentaire.

– Avant que tu partes, Sophie, est-ce que je peux savoir pourquoi tes cousines sont aussi bêtes avec moi ? Elles ne me connaissent pas, je ne vois pas pourquoi elles me traitent de cette façon-là !

– Je... euh... suis désolée, m'a répondu Sophie. Elles ne font pas exprès.

– Oui, on fait exprès ! est intervenue Anne en s'approchant de nous.

– Pourquoi ? lui ai-je demandé.

– Parce qu'on est très bien à trois, et qu'on cherche pas à se faire de nouvelles amies. Sophie est juste trop fine pour te le dire.

– Anne ! s'est écriée Sophie en se retournant vers sa cousine. Arrête ! Tu vas trop loin.

– Pfff ! a répondu cette dernière en tournant les talons et allant retrouver sa sœur.

– Excuse-la, m'a dit Sophie d'un air désolé. Elle exagère.

– Je ne t'ai rien demandé, Sophie ! Tu avais seulement qu'à ne pas m'adresser la parole si ça ne t'intéressait pas de me connaître !

J'ai déguerpi vers la plage et des larmes de colère se sont mises à couler sur mes joues. Je me suis assise en regardant au loin. Hugo me manquait. Il aurait su prendre ma défense. Léo aussi. Du moins, le Léo que je connaissais et qui n'était pas obnubilé par Caroline.

– Qu'est-ce que je fais ici ? me suis-je demandé tout haut en essuyant mes larmes.

Tout à coup, Moustique est apparu devant moi en se tortillant et en secouant la queue.

– Moustique ! N'embête pas Coralie ! s'est écrié Loïc en marchant vers nous.

– Il ne m'embête pas. On dirait même que c'est le seul qui me comprend, ai-je murmuré.

Loïc s'est assis à mes côtés sans dire un mot. Je sentais son regard posé sur moi, mais je ne voulais pas qu'il voie mon visage, parce que j'avais trop peur de fondre en larmes encore une fois et de faire une folle de moi.

– Ça ne va pas ? m'a-t-il demandé au bout de deux minutes.

– Non.

– Coralie… Tu peux te confier à moi, si tu veux.

– Je pourrais te dire la même chose !

– Hein ? a-t-il dit, confus.

– Ben là ! Ça fait une semaine qu'on se voit tous les jours et qu'on joue ensemble, mais je ne connais pratiquement rien à propos de toi ! Et la première fois que je t'ai vu sur la plage, tu avais l'air tout triste, mais tu ne m'as jamais dit pourquoi. Chaque fois que j'essaie d'en apprendre plus sur toi, tu changes de sujet ou tu me fais comprendre que tu ne veux pas en parler ! C'est gentil de me dire que tu es là pour moi, mais sache que ça va dans les deux sens. Si tu ne me dis rien, ça ne me donne pas *full* envie de me confier.

Loïc est resté silencieux pendant quelques instants, puis il m'a regardée en souriant.

– Est-ce qu'on t'a déjà dit que tu n'avais pas la langue dans ta poche ?

– Oui… Mon frère Léo me le répète tout le temps !

– Tu as raison, Coralie. C'est vrai que je ne parle pas beaucoup de moi… C'est juste que… c'est difficile, tu comprends ? Il se passe beaucoup de choses chez moi en ce moment… et ça m'affecte.

– C'est bon, je comprends, ai-je répondu doucement. Excuse-moi de m'être emportée. Je me suis chicanée avec mon frère au téléphone, puis je me suis disputée avec la voisine, et tout ça m'a mise de mauvaise humeur. Mais ce n'est pas de ta faute, et je n'avais pas à me défouler sur toi.

– Ouais, mais tu m'as fait réaliser que je gardais tout pour moi… et ma sœur me répète tout le temps que ce n'est pas une bonne chose... Je te promets que je vais te confier mes trucs, mais pas maintenant, OK? Maintenant, je veux qu'on s'amuse!

Loïc est allé chercher un ballon, et on s'est amusé à se le lancer alors que Moustique courait partout en essayant d'intercepter nos tirs. Ça m'a fait du bien de me changer les idées.

Je viens juste de rentrer chez moi et même si je me sens un peu mieux, j'avoue que j'ai encore le cœur gros à cause de ce matin. Si seulement Léo pouvait comprendre qu'au fond je suis contente qu'il soit heureux, mais que le problème c'est que j'ai peur que sa Caroline prenne ma place.

17 juillet

Hier soir, mes parents ont senti que je n'allais pas. Plutôt que de m'embêter avec des questions, ils ont eu l'idée géniale de mettre de la musique pour me faire sourire et de préparer une lasagne (mon deuxième plat favori après le pâté au saumon).

Papa m'a questionnée un peu sur Loïc, et je lui ai dit qu'il était plutôt fermé, et que je n'en savais pas beaucoup sur sa vie, mais que quelque chose semblait le tracasser à la maison. Maman m'a suggéré d'être à l'écoute, mais d'éviter de le brusquer. Mon père, moins discret, a proposé à ma mère d'aller faire un tour au chalet de Loïc aujourd'hui pour se présenter à ses parents.

– Ben non ! me suis-je écriée. Tu vas avoir l'air du monsieur qui fouine chez les voisins !

– Coco a raison, a dit maman. Il ne faut pas avoir l'air trop indiscrets, non plus !

– Moi, je trouve ça raisonnable d'aller se présenter aux parents du garçon avec qui notre fille passe toutes ses journées depuis deux semaines ! Et comme Coralie semble se faire du mauvais sang à propos de son ami, on pourra vérifier si tout va bien, ou s'il y a lieu de s'inquiéter !

Papa a finalement réussi à nous convaincre de son plan, mais je lui ai fait promettre de ne rien dire à propos de mes inquiétudes. Je ne veux surtout pas trahir la confiance de Loïc !

J'ai fini par m'endormir sur le sofa, devant un film. C'est papa qui m'a ensuite transportée dans mon lit, où Chameau m'attendait déjà depuis plusieurs heures.

* * *

Quand je me suis réveillée ce matin, j'ai remarqué qu'il faisait très sombre dans ma chambre. J'ai regardé par la fenêtre, et j'ai vu de gros nuages gris dans le ciel. Mon chat est venu se coller contre moi, comme s'il savait que ça m'attristait qu'il fasse aussi moche.

Après ma douche, je me suis habillée en vitesse, car je voulais accompagner mes parents au village. Je m'apprêtais à sortir du chalet quand maman m'a dit que la voisine était là, et qu'elle demandait à me parler.

J'ai invité Sophie à entrer, puisqu'il commençait à pleuvoir.

– Je ne vais pas te déranger longtemps, m'a-t-elle dit en s'assoyant sur mon lit et en flattant Chameau qui se dandinait à ses pieds. Je vois que vous êtes sur le point de partir.

– Ouais, on va faire des courses au village.

– Je voulais surtout m'excuser pour hier. Tu es partie avant que j'aie eu le temps de m'expliquer…

– Tu n'as pas à t'excuser. Ce sont tes cousines qui sont bêtes avec moi.

– Je sais… Et quand je suis allée les rejoindre, j'ai mis ça au clair avec elles. Je suis tannée qu'elles fassent des crises chaque fois que je me rapproche de quelqu'un d'autre, et je ne supporte plus qu'elles soient méchantes avec toi, ni avec Marie-Claude, la sœur de Loïc, ni avec tous les autres jeunes du coin. J'ai envie de me faire d'autres amis, et si elles ne comprennent pas ça, c'est leur problème.

– Tu as bien fait de leur dire si tu ne te sens pas bien là-dedans.

– Je voulais aussi te dire que, contrairement à ce que tu penses, j'aimerais ça passer du temps avec Loïc et toi. J'ai l'impression qu'on s'entendrait bien et que ce serait le fun de jouer ensemble, des fois.

– Et tes cousines ?

– Si elles ont envie de se joindre à nous, tant mieux ! Sinon, tant pis pour elles !

Je lui ai offert de repasser un peu plus tard, puis je me suis dépêchée de faire les courses avec mes parents. Nous sommes rentrés du village il y a une vingtaine de minutes, et papa et maman viennent de partir pour visiter les parents de Loïc. Mon cœur bat très fort. J'espère que mon ami va bien, et que mes parents reviendront ici avec de bonnes nouvelles !

18 juillet

Je suis encore un peu déboussolée par ce que papa et maman m'ont raconté en rentrant de chez Loïc. Ils ont fait la rencontre de son père et… de sa belle-mère.

Quand ils sont arrivés, Loïc était sorti promener Moustique. Son père les a invités à s'asseoir et leur a dit qu'il était content de rencontrer les parents de la « fameuse » Coralie. Maman a simplement fait remarquer qu'ils avaient voulu se présenter en personne puisque je n'avais pas encore eu la chance de venir jouer chez Loïc.

Son père leur a expliqué que son divorce avec la mère de Loïc était encore frais et que son fils avait eu beaucoup de difficulté à accepter la nouvelle.

– À ce que j'ai cru comprendre, ton ami a de la peine que ses parents soient séparés. Il a sans doute de la difficulté à accepter que son père refasse sa vie sans sa maman, m'a expliqué mon père.

Pauvre Loïc. Je comprends qu'il ait l'air aussi triste et qu'il ait plutôt envie de se changer les idées ! Je ne sais pas comment je réagirais si j'apprenais que maman et papa n'étaient plus amoureux.

On dirait que le fait de connaître la vérité sur ce qui tracasse mon ami m'a permis de mettre mes propres problèmes en perspective. J'ai soudain ressenti le besoin de parler à Léo. Il a téléphoné plusieurs fois depuis notre chicane pour donner des nouvelles à mes parents, mais j'ai raté chacun de ses appels. J'ai demandé à mes parents si c'était possible de laisser un message à son camp pour qu'il me rappelle. Ils ont accepté en souriant. Je pense qu'ils étaient fiers que je fasse les premiers pas.

Léo m'a rappelée trente minutes plus tard.

– Salut, Co. Je suis content de te parler. Je n'aime pas ça quand on est fâchés.

– Moi non plus. Ça me rend triste.

– Est-ce que tout va bien à Trois-Pistoles ?

– Oui. Je me suis fait de nouveaux amis, et j'ai déjà fini tous les romans que maman m'a achetés en arrivant ici.

– C'est cool, ça ! Il va falloir la convaincre de retourner à la librairie.

– Mouais, ça tomberait bien, puisque le crayon vert que Hugo m'a offert avant de partir va rendre l'âme dans quelques pages ! Ça me permettrait aussi de revoir Jacinthe, la caissière. Le problème, c'est que sa grand-mère est la propriétaire de la librairie et qu'elle me fait peur. Chaque fois que j'y vais, elle me regarde comme si j'étais une extraterrestre ou que je voulais lui voler son chat !

– C'est peut-être juste ton imagination !

– Mouais… peut-être. Et toi, ça va ?

– Oui. Le camp achève. Mes amis vont me manquer, mais j'ai hâte de vous voir.

– Moi aussi ! Est-ce que t'es rendu champion du monde ?

– Pas encore, mais j'y travaille !

– Et est-ce que Caroline va venir à la maison quand tu vas rentrer ?

– Est-ce que tu veux que Caroline vienne à la maison quand je vais rentrer ?

– Plus ou moins, ai-je admis d'une petite voix. Mais si elle est importante pour toi, je veux bien faire un effort.

– Merci, Co. C'est gentil. Le pire, c'est que je suis sûre que tu vas l'aimer.

– N'exagère pas, quand même ! ai-je dit, pince-sans-rire.

– Tu sais, Co, même si j'ai une blonde, ça n'enlève rien à ce que tu vaux pour moi, ni à l'importance que tu as dans ma vie.

J'ai senti une bouffée de bonheur. C'est exactement ce que je voulais entendre. Maintenant, il me reste à le voir pour le croire !

20 juillet

Ce matin, j'ai téléphoné chez Loïc pour l'inviter à venir jouer chez moi cet après-midi avec Sophie, avec qui je passe de bons moments depuis quelques jours. Elle est venue chez moi à quelques reprises pour me montrer des photos, et me confier ses secrets. Elle m'a raconté qu'elle avait un amoureux qui s'appelait Olivier, mais qu'elle n'osait pas l'avouer à sa famille parce qu'elle ne voulait pas qu'ils se moquent d'elle.

Je lui ai quant à moi confié que j'avais longtemps été amoureuse de mon meilleur ami et que je n'avais jamais osé lui dire.

– Pourquoi ? Il me semble que si j'aimais quelqu'un proche de moi, je ne pourrais pas supporter de le voir avec une autre et je voudrais lui dire au plus vite ce que je ressens pour lui, non ?

– Ouais, mais je sentais que ce n'était pas réciproque, et je ne voulais pas gâcher mon amitié avec lui.

– Est-ce que tu es encore amoureuse de lui ?

– Je ne crois pas. Quelque chose s'est passé au cours des dernières semaines… et quand je pense à lui, je pense à un ami que j'aime beaucoup, mais mon cœur ne s'emballe plus comme avant.

– Est-ce que c'est parce que tu es amoureuse de Loïc ?

J'ai rougi et je n'ai pas répondu. Je ne m'étais pas vraiment posé la question jusqu'ici, mais quand je songe à ma dernière semaine au chalet, je réalise que j'ai envie de passer le plus de temps possible avec lui. Est-ce que ça veut dire que je suis amoureuse de lui? Bonne question!

21 juillet

Je suis contente, car Loïc et Sophie se sont super bien entendus hier ! (Je ne peux pas en dire autant de Chameau, qui fuit dès qu'il aperçoit Loïc, de crainte que son chien soit avec lui !) Je me sentais presque comme avec Hugo et Charlotte ! Le seul hic, c'est que depuis que Sophie m'a demandé si j'éprouvais des sentiments pour Loïc, on dirait que je n'arrive pas à penser à autre chose.

Hier, je me suis même mise à rougir quand il m'a fait un compliment, et je me suis surprise à l'admirer d'un air idiot alors qu'il nous racontait ses exploits au hockey.

– Wow, ça a l'air cool, tes parties de hockey ! me suis-je exclamée d'un air presque trop enthousiaste.

– Oui, c'est vraiment cool ! Tu devrais venir me voir jouer, un de ces quatre ! On n'habite pas très loin, et je pourrais te présenter à mes coéquipiers. Je suis sûr qu'ils te trouveraient super belle ! Euh... Je veux dire, super fine !

J'ai détourné le regard en rougissant, et je me suis empressée de changer de sujet pour dissiper le petit malaise.

Quand il est parti chez lui, j'ai demandé à Sophie de rester quelques instants pour me confier à elle.

– Je crois que j'ai un problème, lui ai-je admis.

– Quoi ?

– Je pense que je suis amoureuse de Loïc. Je pars d'ici dans moins d'une semaine, et je ne sais pas quoi faire !

– Si tu veux mon avis, je suis certaine que tu lui plais, toi aussi. Tu aurais dû voir sa tête quand il parlait de te présenter à ses amis, et qu'il a dit indirectement qu'il te trouvait belle !

– Ben, là ! Il a pas vraiment dit ça ! Il voulait sûrement juste être gentil…

– Fais-moi confiance, Coralie ! J'ai reconnu les signaux, et je suis certaine qu'il est amoureux, lui aussi !

J'ai rougi et j'ai senti des papillons dans mon ventre. Est-ce que c'est vrai ? Est-ce que ça se pourrait que pour la première fois de ma vie, mes sentiments soient réciproques et qu'un garçon que j'aime soit aussi amoureux de moi ?

– Moi aussi, j'ai un problème, m'a confié Sophie en se laissant tomber sur mon lit.

– Ah oui ? Quoi ? Ne me dis pas que, toi aussi, tu es amoureuse de lui ! Je suis un peu tannée des triangles amoureux !

– Ben non, voyons ! J'aime Olivier ! Non… Mon problème, ce sont mes cousines. Tu aurais dû voir leur tête quand je leur ai dit que je venais jouer ici aujourd'hui !

– Tu aurais pu les inviter. Ça ne me dérange pas.

– C'est ce que j'ai fait, mais elles me boudent ! Elles ne comprennent pas que j'ai envie de me faire d'autres amis. J'espère que ça ne tournera pas au vinaigre pour mon anniversaire !

– Ton anniversaire ? C'est ta fête et tu ne me l'as pas dit ?

– En fait, c'est mon anniversaire dans quatre jours, et toute ma famille vient au chalet pour célébrer. Mes parents et mes sœurs vont passer la semaine ici. Ma mère m'a dit d'inviter tous les amis que je voulais, et j'aimerais vraiment que Loïc et toi veniez à la fête.

– Tu peux compter sur nous ! Et ne t'en fais pas pour tes cousines ; je m'arrangerai pour être tellement fine avec elles qu'elles n'auront pas le choix de m'accepter dans la gang !

Sophie a éclaté de rire, puis elle est rentrée chez elle. Je suis vraiment contente de m'être fait une nouvelle amie !

22 juillet

Ce matin, je me suis réveillée de super bonne humeur, et j'ai demandé à maman si on pouvait faire un saut à la librairie, puisque je n'ai plus rien à lire et que je voulais m'acheter un nouveau crayon aussi génial que le vert que m'a offert Hugo.

Quand nous sommes entrées dans le magasin, Jacinthe était au téléphone et semblait dans tous ses états.

– D'accord. Faites-moi signe si vous le voyez quelque part. Mamie est inconsolable, a-t-elle dit avant de raccrocher.

– Salut, Jacinthe. Ça ne va pas ? lui ai-je demandé.

– Non. Fripouille est introuvable depuis hier, et mamie est vraiment inquiète, car il ne sort presque jamais. Comme tu as pu le constater, ma grand-mère n'est pas très friande des promenades parmi les inconnus…

– Je comprends. Ça me stresse toujours quand Chameau décide de partir à l'aventure sans laisser de trace, mais si ça peut vous rassurer, il finit toujours par revenir !

– C'est vrai ? a demandé Aline en apparaissant soudain devant nous.

Elle avait l'air de se faire du mauvais sang, et l'agressivité avait complètement disparu de son visage.

– Oui, lui ai-je dit en souriant. Je suis certaine que Fripouille va bien. Les chats aiment parfois partir à l'aventure, et ils ne réalisent pas que ça nous inquiète de rester sans nouvelles ! Mais ne vous en faites pas ; je vais vous aider à le retrouver !

Maman et moi avons décidé de faire le tour des rues avoisinantes pour chercher le petit chat noir. Nous avons regardé sous les balcons et sonné à toutes les portes pour demander aux gens s'ils avaient aperçu Fripouille quelque part, mais sans succès.

Au bout de deux heures de recherches intensives, nous avons décidé de retourner à la librairie pour faire imprimer des photos de Fripouille afin de les afficher un peu partout dans le village.

Je m'apprêtais à rentrer dans la petite boutique lorsque j'ai entendu des miaulements provenir du toit. J'ai alors aperçu Fripouille qui semblait coincé sur la toiture, et qui avait décidé de patienter en se faisant dorer au soleil ! Je me suis empressée de chercher un escabeau pour rescaper le petit chat noir qui m'a accueillie en ronronnant.

Je l'ai aussitôt rendu à sa maîtresse, qui nous surveillait de la terre ferme.

– Regardez qui se prélassait au soleil ! Il est sain et sauf !

– Fripouille ! s'est exclamée la grand-maman de Jacinthe en serrant son chat contre elle. Je suis tellement soulagée de te voir ! Merci, Coralie. Tu ne sais pas à quel point tu me rends heureuse !

– Et moi, vous ne savez pas à quel point vous me faites plaisir en me parlant gentiment ! Je croyais que vous aviez peur de moi !

La vieille dame a éclaté de rire et s'est excusée d'avoir eu l'air si hostile à notre égard.

– Le problème, c'est que je me ronge toujours les sangs à propos de mon chat, et que j'ai souvent peur qu'il lui arrive du mal.

– Je comprends, Aline, mais sachez qu'avec moi, vous n'avez rien à craindre !

– Je te crois, ma chérie ! Allez, je vous invite à prendre le thé pour me faire pardonner !

Nous avons finalement passé près d'une heure à discuter avec elle de l'histoire de la librairie et de sa famille. Elle en a aussi profité pour nous raconter quelques légendes et histoires loufoques à propos des habitants du village.

Jacinthe avait raison. Sa mamie est une dame super sympathique ! Comme quoi il ne faut pas toujours se fier aux apparences !

23 juillet

Je n'arrive pas à dormir, car je suis trop heureuse. Quand je repense à ma journée, je sens des gargouillis dans mon ventre, et je vois des feux d'artifice !

Tout a commencé ce matin. Comme il pleuvait, j'ai invité Sophie et Loïc à venir jouer à des jeux vidéo chez moi. Sophie n'a pas pu se joindre à nous, puisque sa famille venait tout juste d'arriver au chalet, mais Loïc s'est empressé d'accepter mon invitation. Quand il est arrivé, j'ai toutefois senti qu'il était triste.

– Ça ne va pas, hein ?

– Bof. J'ai le cœur gros à cause de mes parents... Je crois que mon père a raconté à tes parents qu'ils venaient de divorcer, et j'avoue que j'ai encore de la difficulté à l'accepter.

– Je comprends, lui ai-je dit en posant une main sur son épaule.

Il s'est assis sur mon lit, et Chameau est allé se blottir contre lui pour le consoler.

– C'est la première fois que Chameau est si gentil avec moi !

– Ouais. Il a un sixième sens quand les gens sont tristes. Et c'est aussi la première fois que tu viens sans Moustique ! Mais dis-moi, est-ce qu'il s'est passé quelque chose pour que tu sois dans cet état ?

– Pas vraiment... En fait, c'est surtout parce je m'ennuie de ma sœur. Elle est partie deux semaines en Gaspésie avec ma mère, et elle vient me rejoindre la semaine prochaine. Je trouve ça plate quand on n'est pas ensemble.

– Je te comprends. C'est pareil pour Léo et moi...

– Je sais, et c'est pour ça que je t'en parle. J'étais certain que tu me comprendrais ! Mais il y a un autre problème. Quand je suis au chalet, je trouve ça pénible de voir mon père avec sa blonde. C'est pour ça que j'aime mieux être ici. Je n'ai rien contre ma belle-mère. Après tout, elle est super gentille avec moi... mais chaque fois que je la vois embrasser mon père, je réalise que c'est vraiment terminé entre mes parents, et ça me rend triste.

– Je comprends… Mais dis-toi que l'important, c'est que tes parents soient heureux. Et s'ils sont plus heureux séparés, ça n'a rien à voir avec toi ! Tu n'es pas responsable de leur séparation, et ça ne change rien à l'amour qu'ils éprouvent pour toi !

Loïc m'a regardée, puis il m'a embrassée sur la joue.

– Merci. C'est vrai, et c'est exactement ce que j'avais besoin d'entendre.

J'ai rougi et je me suis mise à bafouiller. J'ai remarqué que j'avais les mains moites et que mes joues s'empourpraient de plus en plus ! Je lui ai donc offert de jouer à la console pour éviter qu'il se rende compte de mon malaise et du fait que je ressemblais à une tomate, et heureusement pour moi, la diversion a fonctionné ! On a passé le reste de la journée à rigoler, et même si je faisais semblant de rien, mon cœur battait à tout rompre !

Loïc m'a embrassée ! Et je pense que Sophie a raison : il m'aime bien, lui aussi ! Il ne reste plus qu'à se l'avouer !

24 juillet

Aujourd'hui, Sophie a passé la journée au village avec ses parents, qui viennent d'arriver pour son anniversaire. Quand Loïc m'a téléphoné pour me proposer d'aller faire une balade, j'étais vraiment nerveuse, puisque je savais que j'allais être seule avec lui !

Heureusement que Moustique était là, car je pouvais me concentrer sur lui plutôt que de regarder nerveusement Loïc en espérant qu'il m'avoue ses sentiments. On s'est rendus jusqu'au grand champ situé à près d'un kilomètre de mon chalet et Moustique s'est mis à courir un peu partout en branlant la queue.

– Il a l'air content ! me suis-je exclamée d'un air nerveux.

– Oui. Il aime vraiment ça se promener avec nous. Et je pense qu'il t'aime beaucoup ! Il a toujours l'air super content quand il te voit.

– Ben non, voyons ! Moustique aime tout le monde !

– Sauf Chameau.

– Ah oui, tu as raison. Il n'a pas l'air d'aimer mon chat !

J'ai commencé à rire un peu nerveusement. Je n'aimais pas qu'il y ait des silences entre nous, car je sentais une sorte de tension que je ne savais pas comment apaiser.

– Tu sais, Coralie… Il y a quelque chose que j'aimerais te dire…

Je me suis tournée vers lui en retenant mon souffle. Le moment était enfin arrivé. Loïc allait me déclarer son amour, et j'allais devoir être honnête avec lui, moi aussi.

– Ah oui ? lui ai-je demandé, le cœur battant.

On s'est arrêtés de marcher pendant quelques instants, puis il s'est tourné vers moi. J'avais les cheveux dans les yeux à cause du vent, et Loïc a gentiment repoussé une mèche pour la placer derrière mon oreille.

– Merci, lui ai-je dit doucement.

J'avais une boule dans la gorge tellement j'étais nerveuse.

– Que voulais-tu me dire ?

Loïc a ouvert la bouche, puis il s'est ravisé. Il s'est détourné et il a regardé devant lui.

– Je… Euh… C'est que… J'ai une idée !

– Ah oui ? Quelle idée ? lui ai-je demandé, un peu étonnée.

– Si on faisait une course ?

– Euh… OK.

J'étais à la fois déçue et soulagée. J'ai pourtant senti que je lui plaisais, mais il se peut qu'il soit tout aussi nerveux que moi, ou alors qu'il n'ait pas envie de perdre mon amitié en m'avouant son amour. Je suis restée un peu songeuse, puis je me suis tournée vers Loïc, qui me regardait d'un drôle d'air.

– Ça va ?

– Oui, excuse-moi ! J'étais dans la lune. Alors, on la fait, cette course ?

On s'est mis à courir pour rattraper Moustique, et on passé le reste de l'après-midi à parler de tout, sauf de nos sentiments. Décidément, je ne suis pas destinée à avoir un amoureux !

25 juillet

Je sais que j'écris moins souvent ces temps-ci, mais j'essaie de passer le plus de temps possible avec mes amis avant mon départ. Quand je pense qu'on s'en va dans deux jours, ça me donne le goût de pleurer !

Aujourd'hui, Loïc et moi sommes allés à l'anniversaire de Sophie. J'ai rencontré ses parents et ses sœurs, qui lui ressemblent comme deux gouttes d'eau !

Maman et moi avions acheté un livre pour Sophie, et Loïc lui a offert un jeu de société super drôle. Sophie a voulu jouer une partie, et Anne et Julie ont finalement demandé si elles pouvaient se joindre à nous !

Au début, elles étaient un peu renfermées, mais plus la partie avançait, et plus elles faisaient des blagues et riaient avec nous. Je ne me serais jamais imaginé que mon séjour ici se terminerait aussi bien, ni que je finirais par tisser des liens avec les cousines de Sophie, mais après les derniers jours, je réalise que tout est possible !

Quand Loïc et moi sommes partis, il m'a demandé s'il pouvait me parler deux minutes avant que je rentre.

– Évidemment, lui ai-je dit en souriant.

– En fait… Je suis un peu gêné de te dire ça… J'aurais voulu t'en parler hier, mais ça n'a pas vraiment adonné... Ou plutôt je n'ai pas osé. J'étais trop nerveux...

Il a pris une grande respiration et il a plongé son regard dans mes yeux.

– La vérité, c'est que je t'aime bien, Coralie. Je veux dire... plus qu'en amie. Et je tenais à te le dire avant que tu partes.

– Moi aussi, Loïc.

On a décidé d'aller s'asseoir sur la plage pour regarder le soleil se coucher derrière le fjord pour l'une des dernières fois de mon séjour. J'ai fermé les yeux et j'ai pris sa main dans la mienne.

Si quelqu'un m'avait dit qu'en moins de trois semaines, je me ferais une nouvelle amie, que j'arriverais à percer la carapace des deux cousines de Sophie et que je me serais fait un amoureux, je lui aurais probablement ri au visage. Comme quoi la vie est toujours remplie de surprises !

28 juillet

Me voilà de nouveau dans ma chambre, dans ma maison, auprès de mes amis et de mon frère Léo.

Même si mes adieux ont été tristes avec Sophie et Loïc, on s'est promis de s'écrire souvent, et même de se visiter dès que possible. Comme ils n'habitent pas très loin de chez moi, on arrivera sûrement à se planifier des sorties, avec l'aide de nos parents !

Avant que je parte, Loïc m'a offert un petit bracelet avec des breloques.

– Comme ça, tu penseras à moi chaque fois que tu le porteras.

– Je n'aurai pas besoin de le porter pour penser à toi, lui ai-je dit en le serrant dans mes bras.

Quand mon père a démarré la voiture, ma mère s'est tournée vers moi pour me prendre la main. Des larmes se sont mises à couler sur mes joues.

– Tu es triste de partir, hein ?

– Oui, ai-je répondu en essuyant mes larmes.

– Mais pense que demain matin, tu pourras retrouver Marie, Charlotte et Hugo ! Sans compter que ton frère rentre ce soir, et qu'il faut être à l'heure au terminus pour aller le chercher !

– Je sais, lui ai-je répondu en souriant. Je suis triste et contente en même temps.

– J'en conclus que tu as aimé ton séjour dans le Bas-Saint-Laurent ? m'a demandé mon père.

– Oui, vraiment, ai-je répondu en regardant le paysage.

– Donc tu ne serais pas contre l'idée de louer le même chalet l'année prochaine ?

– Pour vrai ? Papa, je serais TELLEMENT contente ! lui ai-je répondu en souriant.

Après un arrêt rapide à la fromagerie pour acheter du fromage qui fait « couic-couic », nous nous sommes empressés de prendre la route pour arriver à temps pour Léo.

Quand j'ai revu mon frère, mon cœur s'est rempli de bonheur. On a passé une partie de la soirée à se raconter nos dernières semaines, et quand je lui ai dit que j'avais un nouvel amoureux, il a froncé les sourcils.

– C'est qui, lui ? Ça m'énerve qu'un garçon que je ne connais pas te tourne autour !

– Je t'assure qu'il est vraiment gentil… et ça ne sert à rien d'être jaloux, Léo. Après tout, ma relation avec Loïc ne change rien à l'importance que tu as pour moi ! lui ai-je dit en lui faisant un clin d'œil.

On a tous les deux éclaté de rire, et on a fini par s'endormir devant la télé.

Aujourd'hui, mon père a organisé un barbecue pour célébrer notre retour en ville. Charlotte, Marie et Hugo sont arrivés les premiers. J'étais contente de retrouver mes amis, et j'étais d'autant plus heureuse de constater qu'Hugo ne me faisait plus du tout le même effet. Je n'avais donc plus à m'en faire pour notre amitié ! Mais quand je leur ai parlé de Loïc, j'ai remarqué qu'il n'avait pas l'air super content.

– Je pense qu'Hugo est jaloux ! m'a soufflé Charlotte à l'oreille.

– Ça va lui passer ! ai-je répondu en souriant.

– T'as raison. Et si tu veux mon avis, il n'avait qu'à se déniaiser avant !

J'ai ensuite fait la connaissance de la fameuse Caroline, et je dois avouer qu'elle est super gentille. Elle m'a posé plein de questions à propos de mon été au chalet, et elle ne me parle pas comme si j'étais une enfant. J'ai fait un signe à Léo pour lui faire comprendre que je l'aimais bien, et qu'il n'avait pas à se faire de soucis pour moi. Il est aussitôt venu me retrouver.

– J'en conclus que tu me donnes ton approbation ? m'a-t-il demandé.

– Oui, elle est vraiment gentille, Léo, et je suis contente pour toi. Désolée d'avoir réagi en bébé quand j'étais au chalet.

– Décidément, l'air marin te fait grandir, toi !

– Tu n'as même pas idée !

J'ai souri en jouant avec l'une des breloques de mon bracelet. Je ne sais pas ce que l'avenir me réserve, mais je sais que ces semaines dans le Bas-du-Fleuve m'ont marquée à jamais !

FIN

Tu peux suivre
Catherine Girard-Audet
sur **facebook.com/CatherineGirardAudet**

DÉCOUVRE SES NOUVEAUTÉS ET COMMUNIQUE AVEC TON AUTEURE PRÉFÉRÉE !

Retrouvez les autres romans de la collection.

Visitez notre site internet : lesmalins.ca